閱讀123

國家圖書館出版品預行編目資料

機智白賊闖通關／嚴淑女文；林芷蔚圖 --
第二版. -- 台北市：親子天下, 2019.06
104 面； 14.8x21公分. --（閱讀123系列；40）
ISBN 978-957-503-414-6（平裝）
859.6　　108007062

閱讀 123 系列 —— 040

機智白賊闖通關

作者｜嚴淑女　繪者｜林芷蔚
責任編輯｜黃雅妮
特約美術設計｜蕭雅慧

天下雜誌群創辦人｜殷允芃
董事長兼執行長｜何琦瑜
兒童產品事業群
副總經理｜林彥傑
總編輯｜林欣靜
主編｜陳毓書
版權主任｜何晨瑋、黃微真

出版者｜親子天下股份有限公司
地址｜台北市 104 建國北路一段 96 號 4 樓
電話｜（02）2509-2800　傳真｜（02）2509-2462
網址｜ www.parenting.com.tw
讀者服務專線｜（02）2662-0332　週一～週五：09:00~17:30
讀者服務傳真｜（02）2662-6048
客服信箱｜ parenting@cw.com.tw
法律顧問｜台英國際商務法律事務所・羅明通律師
製版印刷｜中原造像股份有限公司
總經銷｜大和圖書有限公司 電話：（02）8990-2588

出版日期｜ 2012 年 11 月第一版第一次印行
2022 年 11 月第二版第三次印行
定　價｜ 260 元
書　號｜ BKKCD123P
ISBN ｜ 978-957-503-414-6（平裝）

訂購服務 ——
親子天下 Shopping ｜ shopping.parenting.com.tw
海外・大量訂購｜ parenting@cw.com.tw
書香花園｜台北市建國北路二段 6 巷 11 號　電話（02）2506-1635
劃撥帳號｜ 50331356 親子天下股份有限公司

機智白賊闖通關

文 嚴淑女　圖 林芷蔚

一 遇上黑心攤販

從前，在一個鄉下地方，有戶人家生了七個小孩，最小的那個男孩叫做「阿七」。

阿七的父母很早就過世了，他和叔叔嬸嬸住在一起。

阿七很聰明，腦筋動得很快。他也非常會說話，每件事都被他說得像真的一樣。

大家常常搞不清楚，他說的是真的？還是假的？所以都叫他「白賊七」。

※註：「白賊」是臺語說謊的意思。

有一次，阿七跟著叔叔到城裡工作。休息時，他走到菜市場附近，剛好聽到一群人在聊天。

「哈哈哈！我剛剛賣出去的那一籃青菜，只有上面是新鮮的，下

面都是爛掉的。」菜販數著鈔票開心的說。

「我把壞掉的肉，用香料醃一醃，客人還不是照樣買回家，吃得很開心。」肉販也得意的說。

那些賣雞、鴨、魚的人，紛紛分享他們如何把壞掉的食物賣給客人。

阿七覺得這些人太可惡了，決定給他們一點教訓。

他故意拿著一個錢袋，在菜市場裡晃來晃去。

他一會兒拿起青菜挑一挑；

一會兒又捏捏攤子上的豬肉搖搖頭。

「小孩子，去別的地方玩，別在這裡亂晃！」肉販趕著阿七。

「我是來買東西的，我叔叔今天過生日，晚上要請一百桌客人，我想訂一百斤的上等豬肉，可是不知道要買哪一家的才好呢？」阿七一邊說，一邊搖著手中的錢袋。

聽到有生意上門，肉販的臉馬上堆滿笑容：

「我賣的可都是上等肉，還有免費到府的服務喔！」

這會兒，隔壁賣菜、賣雞、鴨、魚的人，統統圍過來：

「一百桌需要的食材，我們統統幫你準備好，你儘管放心。」

「可是，我家在山的那一邊唷！你們願意把這些

食材送到我家嗎？我可不想勉強你們，我看我還是到別的地方買吧！」

阿七拎著錢袋，準備走出市場。

大夥兒紛紛拉住阿七，又是遞茶水，又是搧風的。

「當然願意啊！生日可是喜事呢，我們也可以沾沾喜氣。」

「對對對！沾沾喜氣！」大家笑咪咪的說。

「我不一定要跟你們買，是你們自己要去的喔！」阿七喝了一口冰涼的茶水說。

於是，攤販們滿心歡喜的載了一百斤肉、一百隻雞、一百隻鴨、一百條魚和堆得像小山一樣高的蔬菜，千里迢迢的送到阿七的叔叔家。

這些攤販把東西送到了阿七的叔叔家門口，但是，他們卻感覺不到有要辦生日宴的氣氛。

大家交頭接耳的說：「會不會是送錯了？」

這時候，嬸嬸剛好走出來。

「請問，這裡是阿七的叔叔家嗎？我們把要辦一百桌生日宴的食材送來了。」

「我們沒有要做生日啊！」孀孀覺得很奇怪。

現在慘了！一大堆不好的食材，如果不馬上賣了，全都會壞掉。

肉販氣得大吼：「是你家的白賊七說白賊，把我們騙到這裡來。如果不賠錢，我們就不走。」所有的攤販圍坐在叔叔家門口，孀孀急得不知道該如何是好。

這時，叔叔正好載著阿七從城裡回來了。

叔叔看到那滿山滿谷的食材，氣得揪起阿七的耳朵：「你又說白賊了，對不對？」

「是他們自己要來賣的啊！而且，這些黑心攤販，

賣的都是壞掉的食物。」
叔叔聞聞那些肉，
都發臭了；
他翻起籃子底下的菜，
都發黃了。

攤販們臉上一陣青一陣白，紛紛說：「算了！算了！這次算我們倒楣！」然後急急忙忙的把東西全部載走。

二 發熱的寶衣

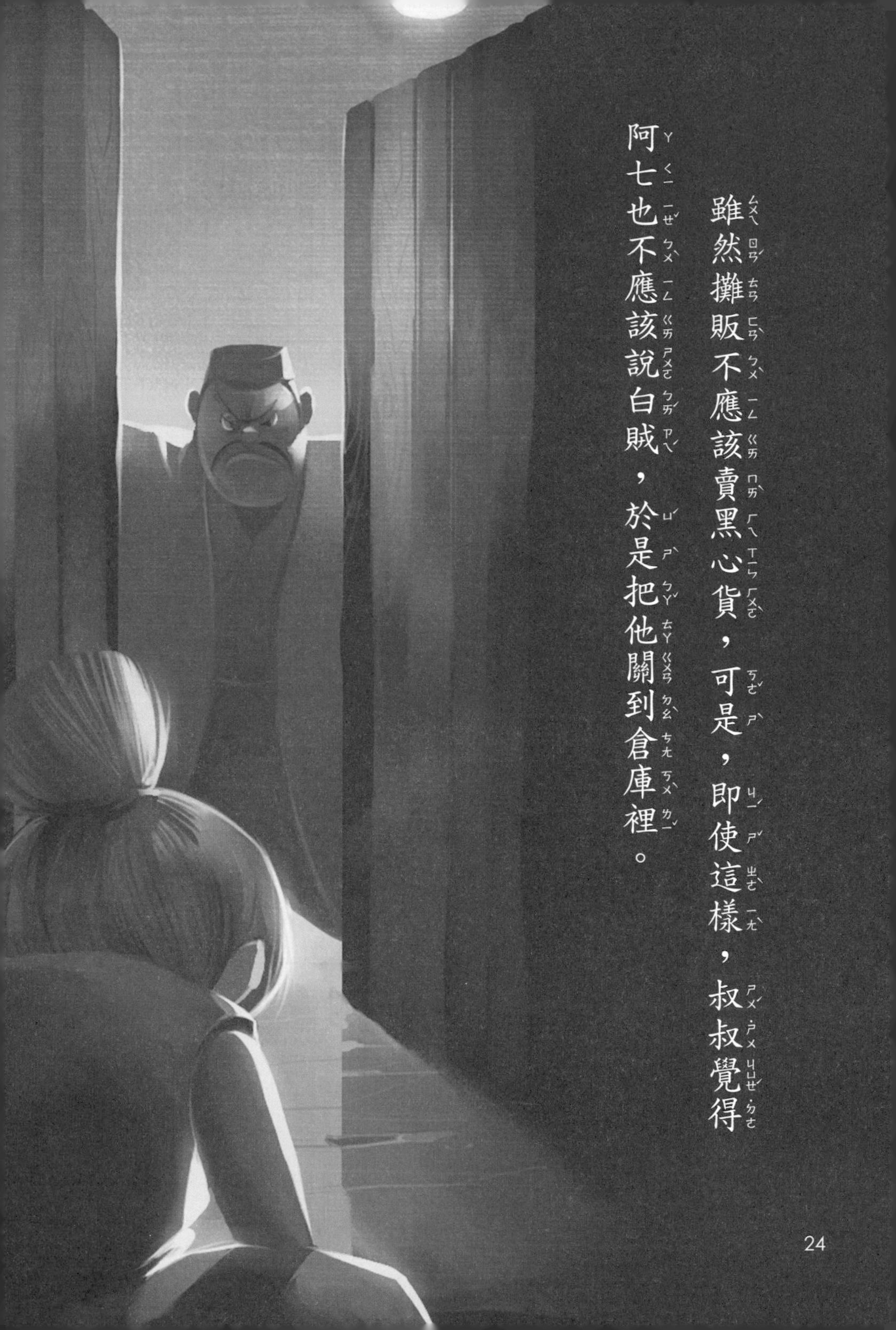

雖然攤販不應該賣黑心貨，可是，即使這樣，叔叔覺得阿七也不應該說白賊，於是把他關到倉庫裡。

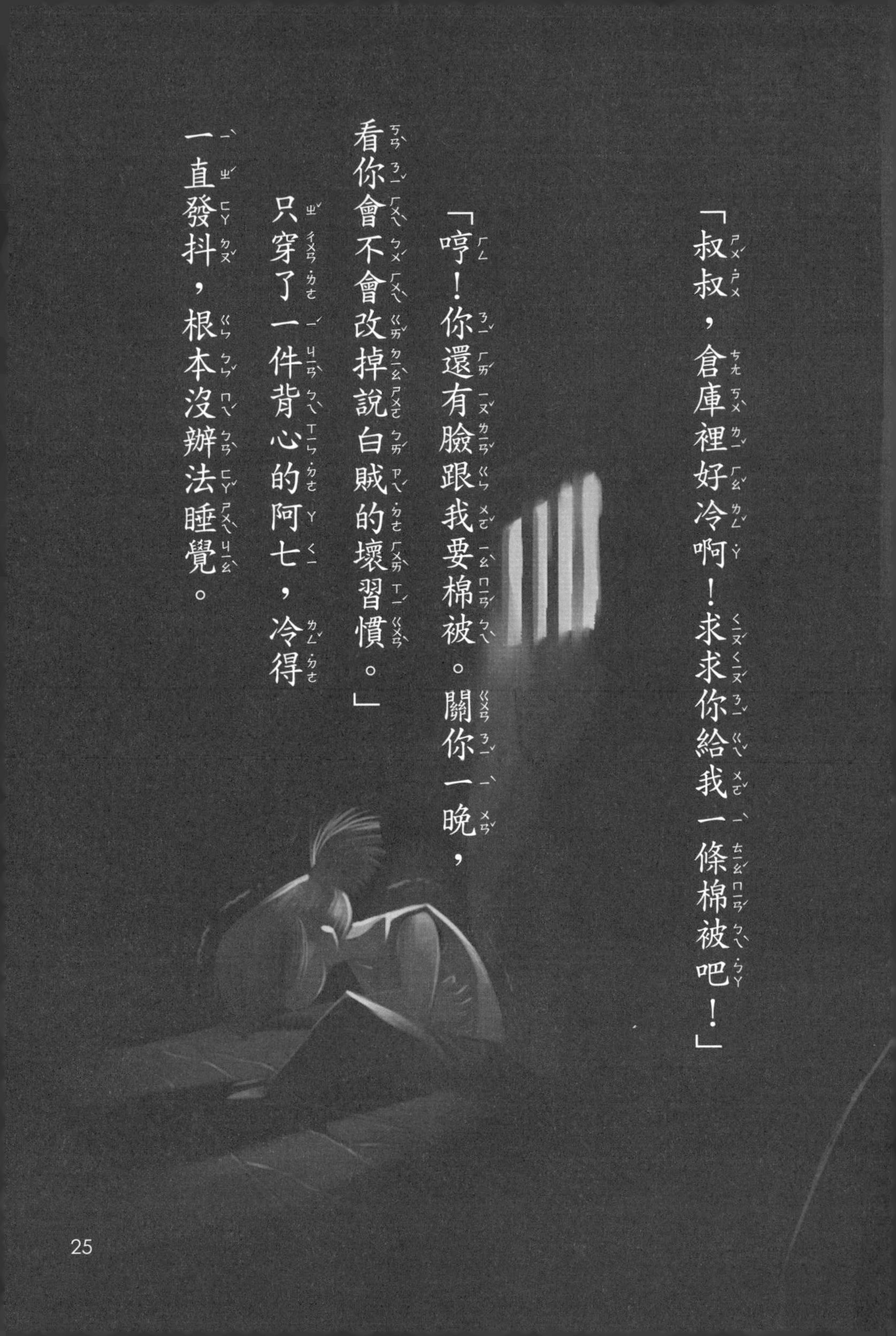

「叔叔，倉庫裡好冷啊！求求你給我一條棉被吧！」

「哼！你還有臉跟我要棉被。關你一晚，看你會不會改掉說白賊的壞習慣。」

只穿了一件背心的阿七，冷得一直發抖，根本沒辦法睡覺。

他只好在倉庫裡一直跑，一直跑，跑得全身是汗。

隔天早上，叔叔打開門：

「天氣這麼冷，你怎麼會滿頭大汗的？」

「我身上穿的是會發熱的寶衣，無論天氣多冷，還是一樣熱烘烘的。」

「真的？有這種寶衣？」

「是啊，這是爸爸留給我的寶貝呢！」

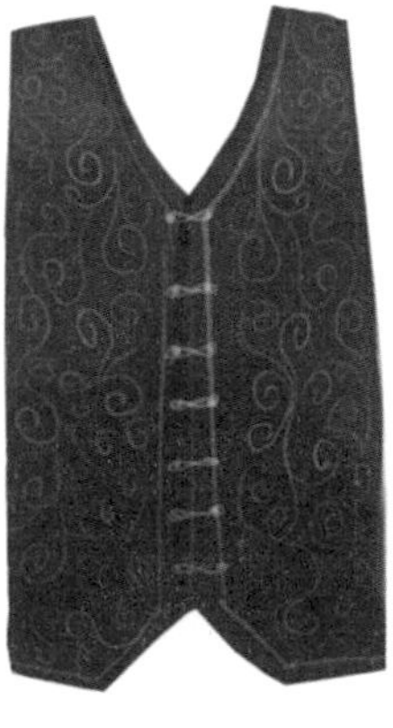

貪心的叔叔心想，

「我已經把所有的財產都搶過來了，竟然漏掉這件寶衣。」

叔叔笑咪咪的說：

「阿七啊！今天我要上山玩，你就把寶衣借給我吧！」

「可是我沒寶衣穿，會凍死耶！」

「那我把這件又輕、又暖的棉襖送給你。」

「可是爸爸說，這件寶衣很珍貴，不能隨便借給別人。」

「我們是親戚，又不是別人。那我再給你一千元。」

「好吧！只能借你三天，不能碰到水哦！」阿七小心的把背心摺好，交給叔叔。

貪心的叔叔根本不打算把背心還給阿七。他立刻穿上寶衣，和朋友上山遊玩。

沒想到，那天又是颳風、又是下雪的，叔叔全身都凍僵了，差點昏過去。

他才知道，這只是一件破舊的背心，根本不是什麼發熱寶衣嘛。

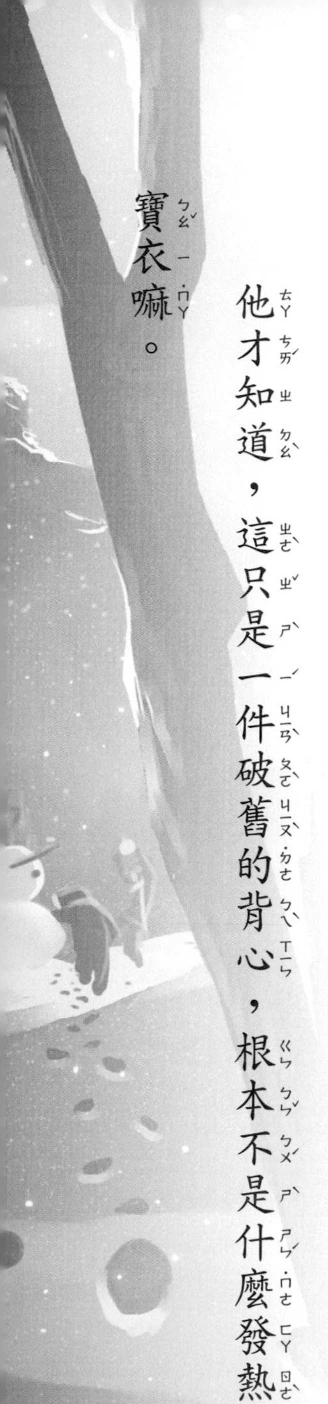

叔叔好不容易才回到了家，他一邊發抖，一邊生氣的大吼：

「白賊七，你竟敢騙我！」

「奇怪！穿在我身上明明很暖和啊？」

「啊！你是不是碰到水啦！」阿七故作緊張的問。

「沒有啊！只是今天下大雪雪花落在身上而已。」叔叔拍拍身上的雪花說。

「雪花融化就變成水啦！寶衣只要碰到水就無法發熱

了！」

不知道阿七說的是真？是假？

叔叔只好說：

「那你把棉襖和錢還給我！」

「我把棉襖和錢都送給路邊乞丐了！你等我一下，我去找錢來還你。」阿七隨手拿了個布袋，立刻往外跑。

「沒找到錢，就別回來了！」叔叔在後面氣得大吼。

三 變黃金的萬能袋

阿七拿著布袋，一邊走，一邊想著如何還欠叔叔的這筆錢。

如果還不出來，今天回家肯定會被叔叔毒打一頓。

他走到大榕樹下，這時，他看見村子裡的

惡霸胖虎，正在欺負一個老爺爺和小女孩。

「把你身上值錢的東西交出來，我就讓你過去。」胖虎擋在路中央說。

「我的孫女生病了，我要把這個東西拿去賣，才有錢看醫生啊！」

當老爺爺正要從口袋裡拿出東西時，阿七突然大喊了一聲：「三叔公，你忘了拿萬能袋了！」

胖虎擋住阿七問：「你說什麼萬能袋？」

「這可是三叔公家裡最神奇的萬能袋，放入任何東西，都會立刻變成黃金。」阿七向老爺爺使了使眼色。

「你最會白賊了，我才不相信你呢！」胖虎曾經被阿七騙過好幾次。

「你不信？」

阿七從地上撿起一塊石頭，丟進布袋，然後搖一搖。

他把頭往袋子裡探進去：「哇！石頭變黃金啦！」

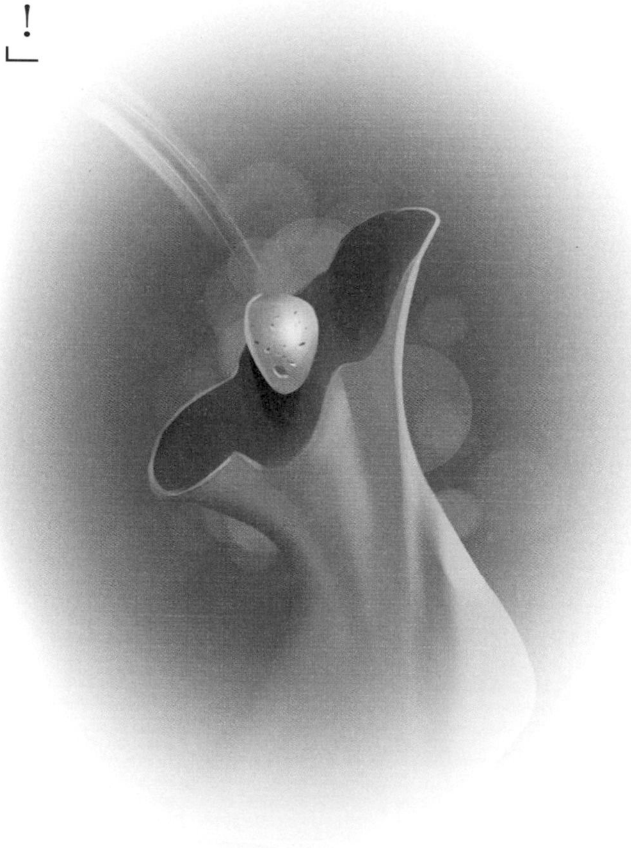

胖虎推開阿七：「在哪裡？黃金在哪裡？」

「你沒看見嗎？在布袋最裡面啊！」阿七把胖虎的頭推向布袋口。

「黑漆漆的，我什麼都沒看見啊！」胖虎的聲音從袋子裡傳來。

「身體要進去一點，才拿得到黃金！」

為了拿到黃金，胖虎整個人鑽進了布袋裡。

阿七趕快拿起身上的腰帶，把布袋口綁緊。

「白賊七，你又騙我，放我出來！」胖虎在布袋裡又踢又叫。

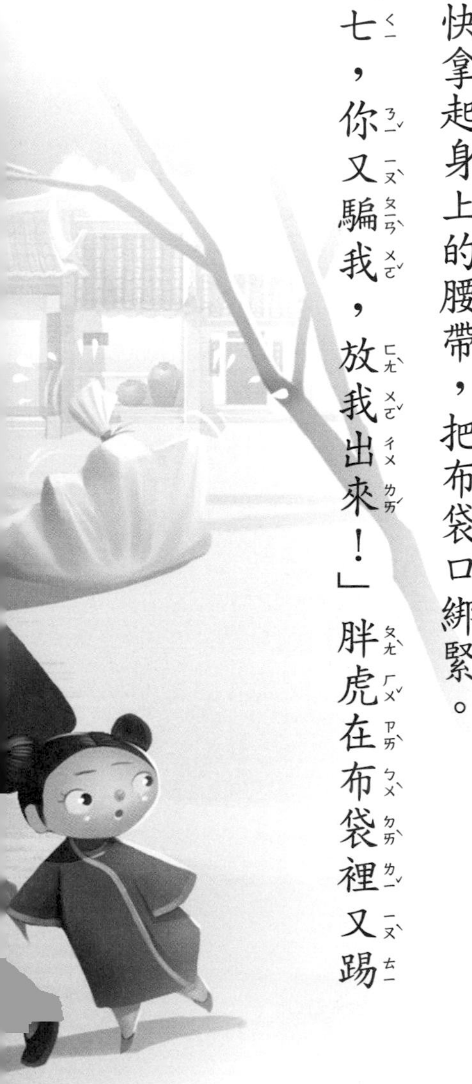

「老爺爺，我們快走吧！」

「阿七，你真是聰明。」

老爺爺佩服的說。

阿七陪老爺爺去城裡把金項鍊賣了，又帶他們去看醫生。

「阿七，謝謝你的幫忙，這五千元請你一定要收下。」老爺爺感激的說。

小女孩拿出一顆珠子，交給阿七：「謝謝你！這是我最喜歡的東西，送給你，晚上會發亮哦。」

「太感謝你們了，下次有需要幫忙，再找我喔！」阿七收下錢和珠子，高興的回家了。

四 海龍王的女婿

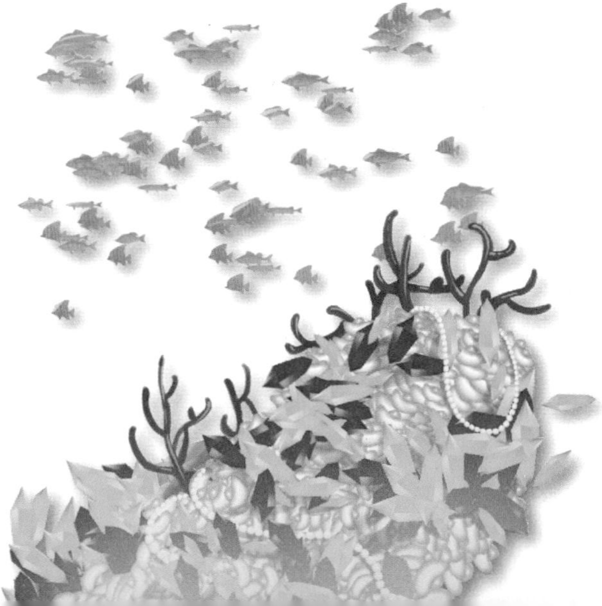

晚上，阿七回到家，他拿出一千元還給叔叔。

「你怎麼會有錢？你去當小偷了吧？」叔叔在阿七的口袋裡翻找，把剩下的四千元也拿走了。

看著貪心的叔叔，阿七雖然很生氣，但是，他卻故意說：「這些錢是海龍王送給我的，因為我救了他的女兒。我現在可是海龍王的女婿呢！」

叔叔哈哈大笑：「你又在白賊了！海龍王哪有可能把女兒嫁給你啊！」

「你不信？海龍王還送我夜明珠呢。」阿七把珠子放進黑袋裡，夜明珠閃閃發亮。

叔叔看到夜明珠，馬上笑著說：「阿七，你真是我們家的幸運兒啊，還當上海龍王的女婿，真是厲害！聽說，龍宮裡有很多寶物，是真的嗎？」

「當然是真的！龍宮裡面到處都是金銀珠寶，這顆還是最小的呢。」阿七把夜明珠收進口袋。

一聽到珠寶，叔叔眼睛都亮了：「你可以帶我去看看嗎？」

阿七露出為難的表情說：「我去問問海龍王吧。可是，我現在肚子好餓哦。」

叔叔馬上叫嬸嬸端出大魚大肉，讓阿七吃個飽。

五 龍宮之行

隔天，阿七告訴叔叔：「我是海龍王的女婿，可以自由進出龍宮。但是，一般人是不能進去的。我在海龍王面前，替你說了許多好話，他才答應的唷！」

「真是太感謝你了！」

「不過，為了讓帶路的蝦兵好辨認，我們不能搭船。我坐木桶，你坐水缸。」

「沒問題！都聽你的。」一心一意只想進龍宮的叔叔，想也不想便一口答應。

阿七和叔叔扛著大木桶和大水缸，來到海邊。

海邊有許多正在捕魚的漁夫，好奇的看著他們。

阿七告訴叔叔：「等一下我們要在海中，敲打水缸和木桶作為信號。敲水缸的聲音表示叔叔來了；敲木桶的聲音表示龍王的女婿來了，你要跟著我敲喔！」

「沒問題！」叔叔立刻坐進水缸裡。

他們漂浮在海面上，一邊划水，一邊慢慢前進。

過了一會兒，阿七說：

「來！要敲第一下了喔！」

他在木桶邊輕敲一下，木桶發出「叩」的聲音。

叔叔跟著在水缸邊輕敲一下，水缸發出「鏘」的聲音。

阿七又說：「現在要敲第二下了喔！」

叔叔跟著阿七敲了第二下。

阿七坐的木桶不怕敲。

但是，叔叔坐的是水缸，在敲第二下的時候，已經出現裂痕，只是叔叔沒有發現。

阿七又說：「好！第三下要用力敲。龍宮的蝦兵就會來迎接我們了。」

第三下一敲，叔叔的水缸破了，裡面開始進水，接著就沉了。

「救命啊！」叔叔大聲呼救。

「快來人啊！我叔叔掉到海裡了！」阿七也大聲呼喊。

海邊的漁夫趕緊跳下海，把叔叔救上岸。

趁著現場一片混亂，阿七跑回家，哭著告訴嬸嬸：

「叔叔掉到海裡淹死了！他們要我回來拿錢，先去買棺材和壽衣，才能把他抬回家。」

一時慌了手腳，嬸嬸趕緊拿一大把鈔票給阿七：

「你快去啊！」然後哭著跑向海邊。

她在中途遇到叔叔和救他的漁夫們。

嬸嬸驚訝的說：

「你沒死啊？阿七說你掉到海裡淹死了，要我給他錢，去幫你買棺材和壽衣啊！」

叔叔氣得直跳腳：「這次又被白賊七給騙了！什麼龍宮、棺材都是騙人的！他要是敢回家，我一定好好修理他。」

六 蝦皮和魚皮

「父親留給我的東西都被叔叔搶走了；現在，我只是拿回屬於我的錢而已。」阿七搖搖裝滿錢的袋子說。

不過，阿七知道，這次叔叔一定不會放過他，所以他準備搭船離開。

但是，阿七騙叔叔的事情，剛好被在海邊巡邏的蝦兵看見了。

他們把這件事告訴海龍王。

海龍王生氣的說：「竟然有白賊七這種人，還騙他叔叔說是我的女婿。真是太可惡了！蝦兵魚將！去把白賊七給我捉來，我要好好的處罰他。」

蝦兵魚將飛快的來到海邊，準備捉拿阿七。

阿七一到海邊，就看見四個蝦兵魚將站在那裡。

他心想，「完了！一定是來捉我的。這該怎麼辦呢？」

「啊！有了！」

阿七不慌不忙的走到蝦兵魚將的面前：

「哈哈哈！你們四個來得正好，我那天和玉皇大帝吃飯，他要我幫他找新鮮的蝦皮和魚皮，你們剛好自投羅網！我先剝哪一隻好呢？」

「什麼？你要剝我們的皮！快逃啊！」四個蝦兵魚將嚇得立刻衝回龍宮。

海龍王氣得從龍椅上跳起來：「一群沒腦袋的傢伙！玉皇大帝怎麼會派一個愛騙人的白賊七，來剝你們的皮呢？」蝦兵魚將嚇得立刻跪在地上：「龍王別生氣，是我們太笨了，被白賊七給騙了。」

海龍王大聲呼喊：「把最聰明的螃蟹將軍給我找來！」

螃蟹將軍馬上來到龍宮。

「我命令你立刻騎著千里馬，去捉拿白賊七，速去速回。」

「龍王請放心，我一定盡快將白賊七捉拿回宮。」

螃蟹將軍騎上千里馬，飛奔而去。

七千里馬換萬里牛

阿七知道海龍王一定會再派兵來捉拿他，他不敢搭船，只好往山上走。

走得有點累了，剛好在路上遇到一個正在放牛的小牧童。

「聽說村子裡的婦人生了有兩個頭的小孩，我要趕快去看。你先幫我看看牛哦！」小牧童把繩子交給阿七，匆匆忙忙的跑走。

「真是太幸運了，我剛好可以好好休息一下。」阿七跳上牛背，讓牛一邊吃草，一邊載著他往前走。

才走了一小段路，後面就追來了騎著千里馬的螃蟹將軍。

「請問這位大哥，你有看到白賊七經過這裡嗎？」螃蟹將軍恭敬的問。

「我剛剛看到他，騎著玉皇大帝送他的快馬飛奔而去，早就不

知道跑到哪裡去了！你騎這匹瘦馬，不可能追到他的啦！」

「我騎的不是普通的馬，這可是龍宮裡特別訓練的千里馬，一日跑千里，一定可以追到他！」

螃蟹將軍自信滿滿的說。

「千里馬，哪比得上我的萬里牛啊！這可是世界上唯一一天可以跑萬里的牛。」阿七得意的拍拍牛背。

「哇！比我的千里馬還厲害。」螃蟹將軍佩服的說。

「看你這麼急著去捉白賊七，乾脆我把這隻萬里牛讓給你吧。」

「那怎麼好意思，這萬里牛一定值不少錢吧？」

「我這個人就是喜歡幫助別人，你不接受，我可是會生氣的哦。」

「那我拿我的千里馬和你交換吧。」螃蟹將軍把千里馬交給阿七。

「好啊！祝你早日找到白賊七。」

阿七立刻跳上馬。

「喂！等一下！我忘了告訴你……」螃蟹將軍話都沒說完，阿七就騎著千里馬飛快的跑走了。

螃蟹將軍只好跳上萬里牛，繼續出發捉拿白賊七。

可是這隻萬里牛一路上晃啊晃的慢慢走，眼看太陽都下山了，連村子口都還沒瞧見呢！

等到小牧童來要回他的牛，螃蟹將軍才知道他也被白賊七騙了。

八千里馬，快跑！

「有了千里馬，螃蟹將軍永遠捉不到我了。」阿七非常得意。

千里馬真的跑得飛快。

越過一座又一座高山；跨過一條又一條河流，千里馬不停的往前跑。

但是，從來沒有騎過馬的阿七，早就被震得頭昏腦脹。

更慘的是，他根本不知道怎麼讓千里馬停下來。

「停！停！停！」

阿七的聲音被耳邊的強風吹走了。

千里馬繼續往前跑。

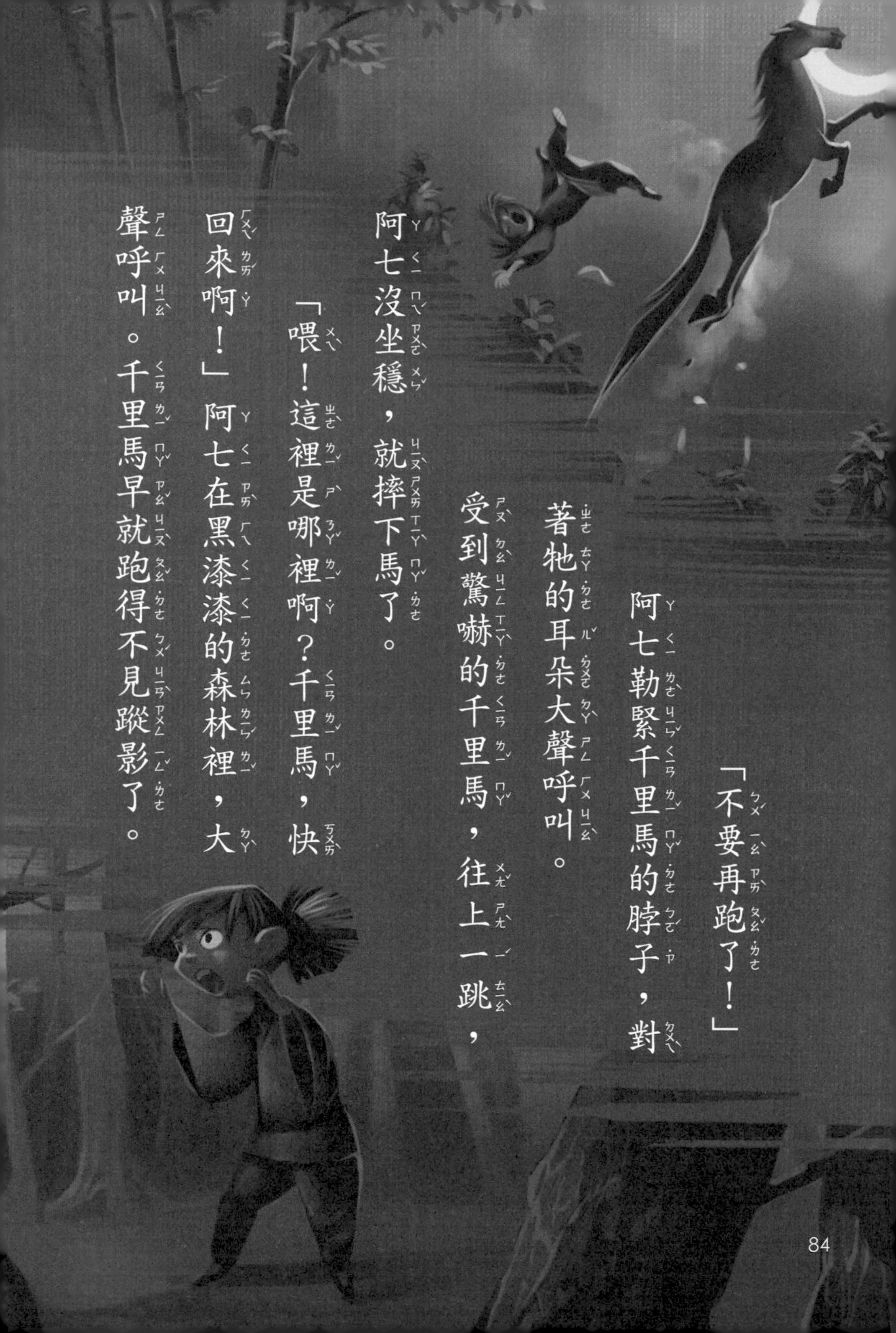

「不要再跑了！」

阿七勒緊千里馬的脖子，對著牠的耳朵大聲呼叫。

受到驚嚇的千里馬，往上一跳，阿七沒坐穩，就摔下馬了。

「喂！這裡是哪裡啊？千里馬，快回來啊！」阿七在黑漆漆的森林裡，大聲呼叫。千里馬早就跑得不見蹤影了。

九白賊七，去哪裡了？

把牛還給小牧童的螃蟹將軍，走了很久，才回到龍宮。

「你怎麼沒有帶白賊七回來？」海龍王問。

「雖然，我沒有捉到他。不過，他應該永遠不會再回來這裡說白賊了。」

「為什麼？」

「因為我來不及告訴他，要有這支魔鞭，千里馬才會停下來。他現在應該已經跑到千里之外了。」螃蟹將軍揮舞著魔鞭，哈哈大笑。

作者的話

機智的白賊七

◎嚴淑女

白賊七是流傳許久的民間故事，曾被改編成電視劇、兒童劇。故事最大的特色是藉著一次又一次環環相扣的事件，讓白賊七發揮機智、能快速想到脫離困境的絕妙方法，讓整個故事一氣呵成。而透過緊密扣合的事件、對話，讓讀者在閱讀故事的同時，白賊七那聰穎的人物形象，在腦海中鮮活的蹦跳，讓人大呼過癮。

在改寫這個鄉野傳奇人物的故事時，我蒐集不同的白賊七版本，整理發現故事的主軸在人物機智個性的塑造。不管白賊七利用寶衣、寶鍋、萬能袋、萬里牛等，讓叔叔、員外或老師因為貪心落入他的計畫中；還是讓攤販大老遠送食材，或帶叔叔到龍宮參觀等事件，每個版本都讓白賊七這個主角充分發揮創意、機智的個性。但最後的結局，還是維持民間故事善惡分明的特性，表明「白賊」（說謊）還是不好的行為，因此讓白賊七摔下千里馬，掉進大河裡淹死了；或因貓追老鼠打翻油燈，房子失火，讓白賊七燒死了，讓讀者引以為戒。

但是，白賊七故事的核心價值在於，白賊七面對問題，總是不慌不忙，善於動腦筋，利用創意和機智來解決問題的人物特性。事實上，每個人的人生都會遇到各式各樣的難題，如何讓我們從生活經驗、所學知識中去學習面對不同的挑戰、運用獨特新穎的想法去解決內心或外在問題的方法，這正是現代教育中需要去培養孩子的能力。

因此，本書以現代性、強調核心價值，加上幽默趣味的方式來改寫。讓白賊七化身為小孩，在爾虞我詐的成人世界中，運用他的機智，去懲罰那些賣黑心貨的商人、貪心奪取遺產的叔叔、仗勢欺人的胖虎，同時幫助弱勢族群，來強化他機智的正向力量，削弱原來民間故事他善於惡作劇的特質。

同時，讓白賊七利用他誇張的想像力，連結民間故事常見的玉皇大帝、海龍王等權威人物；還有經常出現的神奇寶物，如：發熱的寶衣、夜明珠、千里馬、變黃金的萬能袋、萬里牛等，來串連民間故事的特質。而結局則是對白賊七略施薄懲。他因為太得意忘形，急著騎走螃蟹將軍的千里馬，卻忘了拿走讓千里馬停下來的魔鞭，最後落在不知名的森林中高聲呼喊。

開放性的結局，讓讀者自己去猜想，那個機智的白賊七，又會想到什麼方法脫困呢？同時也告訴孩子，百密總有一疏，人生不見得永遠順心如意，這就是真實的人生啊！

推薦文

我們的歷史和記憶

◎林文寶（臺東大學榮譽教授）

印刷術發達前的口傳故事

民間故事屬於民間文學中的一個類別。最初，在印刷術發達以前，民間故事是以口耳代代相傳，而非書寫的方式流傳。

在遙遠的口傳時代，庶民們過著日出而作，日落而息的生活，口說故事是他們日常生活中休閒與娛樂的方式之一。這些口傳故事是以統稱人物、虛擬的內容來表達庶民的情感或者願望。

除了是日常生活中的休閒與娛樂外，也是孩子們的良師益友。這些故事有著庶民的共同歷史與記憶，也是族群的文化基因。

印刷術發達後的書寫故事

在印刷術發達後的文字書寫時期，一些民俗學家將這些民間的口傳故事收集而成民間故事集子。這些故事的主題大約涵蓋了：幻想故事、生活故事、民間寓言和民間笑話。故事中蘊含該地或該國家人民的生活、情感、思想觀念等，等於是一個民族的縮影，可以從中窺探特有的民族特性。

而民間故事之所以能夠在世界各地受到重視，最大的功臣當推「貝洛」（Charles Perrault, 1628～1703）和格林兄弟——「雅各」（Jacob Ludwig Karl Grimm, 1785～1863）與「威廉」（Wilhelm Karl Grimm, 1786～1859）。貝洛採集有《鵝媽媽的故事》，呈現出的不造作、明朗的氛圍，充分展現法國人敏捷的思考與機智的反應。格林兄弟在1812～1814年發表德國民間故事採集紀錄《兒童和家庭故事集》，從此開啟了民間故事科學性的採集新紀元，世界各地紛紛興起採集當地民間故事的熱潮。

民間故事的「變」與「不變」

每當人類往前邁出一大步，就會回頭重新審視這些舊有的口傳故事，讓它對新的處境說話；後世將口傳故事的原典，依照當下所處的時代，加以衍生以及改寫。不過我們同時也發現，從古到今，人性並沒有太大的改變，雖然古代社會和現代差別大得難以想像，但他們所創造的故事仍是可直達我們內心深處的渴望與恐懼。

這些流傳了上千上百年的故事，究竟有著什麼樣的魅力得以延續不斷？它必然具有某種特殊的吸引力，讓人們即使在多不勝數的新題材的故事環繞之下，仍舊不減損絲毫魅力而廣受歡迎。我認為，除了它獨特的寫作特性，如：具有濃厚的戲劇性、突出的性格表現、主題明確等因素外，最重要在於它「變」與「不變」的特質。

所謂「變」，民間故事由於是口耳相傳，在流傳過程中，難免會因各種因素的影響而有所變異、遺忘或省略，但絕不是永遠的在變動之中而無從捉摸。

民間故事之所以能夠成為傳統，歸因於其穩定不變的一面；否則若只有「變」而無「不變」，則故事便無傳統可循。或說故事在流傳中自然就融合出一個普遍為百姓接受的標準模式。

舊瓶裡的新酒

至於改寫給兒童的民間故事，除考慮變與不變的本質之外，更應關注其可讀性與時代性。天下雜誌所推出的【嬉遊民間故事集】，便是以此四項原則，為耳熟能詳的民間故事披上新裝——

1.「**不變**」：從傳統故事中選取主要的故事骨架。
2.「**變**」：融入可引起孩子興趣的角色和情節。
3.「**可讀性**」：文字兼具文學性與趣味性。
4.「**時代性**」：故事安排，情節轉折貼近現代孩子。

由此讓故事兼具永恆的傳統之美以及鮮活的現代動感。

而民間故事究竟可以為孩子帶來什麼樣的學習？以此四書為例，它能讓孩子一邊看故事，一邊吸取主角的人生智慧。《奇幻蛇郎與紅花》以奇幻展現人生際遇，體會善惡果報；《機智白賊闖通關》引導孩子運用創意和機智，解決眼前困境；而《一個傻蛋賣香屁》則以滑稽美學，讓孩子體會手足之情彌足珍貴；《黑洞裡的神祕烏金》以勇氣追逐人生夢想，並了解愛物惜物、行善積德的意義。

在教育或學習的過程中，民間故事將讓孩子擁有我們共同的歷史與記憶，因為那是我們族群共同的文化基因。

推薦文

民間故事的價值

◎傅林統（資深兒童文學作家）

雖然許多成人在長大之後，把民間故事拋之腦後，但相信他們在童年時代都曾讀過或聽過一些民間故事。我們可以肯定的說：再也沒有比民間故事更能吸引兒童興趣的其他類型故事了，原因是故事能活到幾百年、幾千年，一定有它永恆不朽的生命力。

民間故事是全民的鏡子

司馬光編修的《資治通鑑》，被形容為「帝王的鏡子」，那麼凝聚一個民族幾千年流傳的生活經驗和智慧，儼然也是「全民的鏡子」。

目前兒童文學裡的故事類型縱然很多，但民間故事自有它一再被改寫或再創作的價值。

自然調和的立足點

目前風行於讀者之間的故事，大別之有兩大取向，一為「奇幻取向」，一為「現實取向」，兩大類各有所偏所執，唯有民間故事不偏不倚，具有調和的作用。甚至有許多奇幻故事淵源於民間故事；許多現實故事仿效民間故事的趣味性表現手法。

隱藏在日常生活中的故事

我們在日常的談話中，不時的會引用無數的民間故事，譬如：「那簡直是蛇郎君的寫照啊！」、「這不是跟李田螺一樣善有善報嗎？」、「這傢伙比白賊七更狡猾哩！」、「那不正是灰故娘嗎？」、「他宰了下金蛋的母鵝！」、「這不是桃太郎的化身嗎？」、「喔！他像極了藍鬍子！」

這些例子不勝枚舉！事實證明民間故事具有很高的價值，也證明民間故事跟生活息息相關，不應該讓現代的孩子與此「文化大河」隔離。

精練的語言

民間故事的語言，因為口傳所以十分精練，鏗鏘有力，毫無累贅，且帶有韻味和詩意。民間故事是採取了兒童最容易了解的，浪漫的，冒險的形式，更包含了美麗的意象，不管從哪個角度來說，都是很適合給兒童欣賞的藝術作品。

川流著永恆的真理

民間故事從久遠的祖先一代代傳下來，故事中脈脈流動著祖先的精神。在永垂不朽的民間故事中，我們可以發現它所標榜的真理，跟歷代聖哲所提示的真知灼見是相同的。

高明的文學技巧

民間故事在構成上有高明的技巧。這些故事雖然多數採取老套的「圓滿結局形式」，可是給讀者的卻是濃厚的、新鮮的興趣。為什麼會有這樣的效果？原因在於民間故事以一貫性的語言強調它的主題，並且在因果上賦以調和的關聯。

民間故事具有普遍的魅力，因此後來的文學家就不斷的加以改寫，不過這些作品如果只是用平凡的語言改變了面貌，那是沒有什麼價值的，我們應該在改寫的故事中，保存那該保存的先民的文化特質，改變該改變的時代的、環境的偏失和執著。更重要的是，在使兒童品嘗文學的甜美滋味之餘，也能發展他們無限伸展的思維和想像力。

民間故事像春雨，像甘霖，滋潤著我們的文化田土，安慰著我們脆弱的心，鼓舞著稚嫩的幼苗，我們該不斷用心企劃、改寫、出版，提供兒童更值得閱讀的民間故事啊！

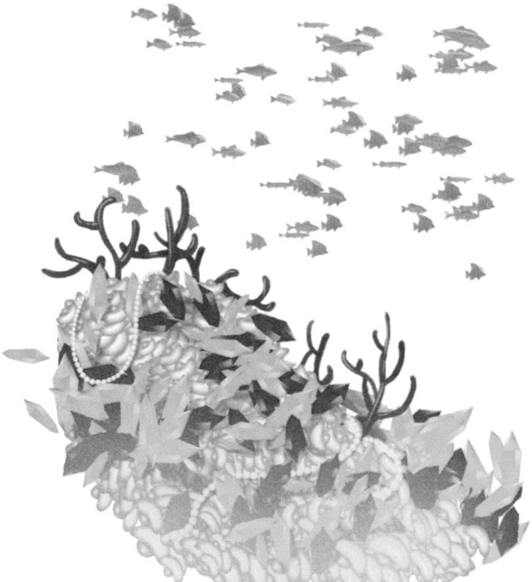

故事賞析

機智創意的民間故事

◎馮輝岳（資深兒童文學工作者）

白賊，是閩南語，指說謊的意思。民間故事《白賊七》，在臺灣地區已經流傳久遠。經過改寫以後，《機智白賊闖通關》裡的白賊七——阿七，變得更有趣也更可愛了。雖然阿七愛說謊，但他可沒做過什麼壞事，反而教訓了黑心攤販、貪心的叔叔和攔路搶劫的惡霸。

你會不會覺得奇怪：為什麼他們明知道阿七愛說謊，還要相信他的話？其實也不奇怪，因為阿七有一個聰明機智的頭腦，還有一張會說話的嘴巴。

市場的攤販沒良心，把壞了的蔬菜和發臭的肉賣給大家，阿七騙他們說叔叔過生日，要買一百桌的菜和肉，攤販們把一大堆的食材送到叔叔家，才發現受騙，因為送來的都是壞了的食物，他們只好自認倒楣。小朋友，我們是不是該為阿七鼓掌叫好呢？

阿七只穿一件背心，卻滿頭大汗，他騙叔叔說自己穿的是一件會「發熱的寶衣」，貪心的叔叔向阿七要來穿，差點凍死在山上，叔叔很生氣，阿七卻說因為寶衣碰到雪水，才不會發熱。能夠馬上編出這樣的理由，使叔叔信以為真。阿七的腦筋反應真快，也實在太聰明了！

村裡的惡霸攔路搶劫老爺爺的錢。阿七稱手中的布袋，是會變出黃金的萬能袋，把惡霸推入袋中捆綁起來。阿七想出好計謀，替村子裡除去惡霸，勇敢又鎮定，真令人佩服。

不過阿七也太過分了，居然騙稱自己是海龍王的女婿，惹惱了海龍王，先後派出蝦兵魚將和螃蟹將軍捉拿他，阿七又靠著說謊的本事，嚇跑蝦兵魚將，騙得了千里馬，最後被千里馬摔到黑森林裡，再也回不來了。愛說謊的阿七，總算得到了懲罰。

閱讀民間故事不僅可以啟發小朋友的智慧，還可以增進小朋友的想像力。民間故事是祖先一代一代傳下來的，以前都靠嘴巴說來聽，因為「口傳」的故事，一定要讓聽的人一聽就懂，所以使用的語言都很簡潔，敍事清楚，也沒有太多的枝節，也因為這樣，大人、小孩都很喜歡聽，很喜歡看。

這個經過改寫的《機智白賊闖通關》，主角阿七不好的行為已經改了很多，也不再叫人討厭了，但是說白賊的壞習慣，還是改不過來。我們真希望他能腳踏實地，做一個誠實的小孩，憑著他的聰明才智，將來有可能成為一個發明家或演說家呢！

閱讀123